Suzan Peeters • Claudia Verhelst

# Spin en Spook

**DE EENHOORN**

## Mag het lampje aan?

'Mag het lampje vannacht aan?' vraagt Tim.
Hij trekt het dekbed tot over zijn kin.
Mama zit op het krukje naast zijn bed.
Haar hand woelt door zijn haar.
'Er zit heus geen draak in de kast,' zegt ze.
'En er zwemt ook geen haai in je la.
Nu geen enge dromen meer.
Denk maar aan iets leuks.'
'Ja!' roept Tim. Hij zit weer rechtop in bed.
'De kermis! Nog maar één nachtje slapen, mam.'
Hij telt de hele week al dagen af.
Vijf nachtjes, vier, drie ...
Maar morgen is het dan zover.
'Ik ga in het reuzenrad. En in de ...'
'Dat zien we morgen wel,' lacht mama.
'Nu ga je slapen en fijn dromen.'
'Met het licht aan,' zegt Tim.
Mama knipt het lampje naast zijn bed aan.
'Smak?' zegt ze en ze komt dichterbij.
Tim geeft haar een zoen
en een hele dikke knuffel.
'Nu ga ik echt hoor,' zegt ze.
Tim wil haar nog niet loslaten.
Maar mama staat al op en zwaait.
Bijna struikelt ze over Tims laarzen.
Dan loopt ze op haar tenen de kamer uit.
Alsof Tim al slaapt.
Maar zo snel gaat dat niet.
Was het maar zo ...

3

## Daar beweegt iets

Tim hoort mama nog op de trap.
Haar stappen op de tegels in de gang.
De piep van de deur in de huiskamer.
Een zachte dreun, de deur valt dicht.
Dan is het stil, mama is echt weg.
Tim ligt in zijn bed.
Boven.
Helemaal alleen.
Hij kijkt naar het lampje.
Veel te weinig licht voor zijn grote kamer.
De hoeken zitten nog vol donker.
Hij heeft er al zo vaak over geklaagd.
Maar mama zegt elke keer dat het goed is zo.
En dat hij niet bang hoeft te zijn.
Dat probeert Tim elke avond wel.
Maar het lukt niet zo goed.
Zal hij de grote lamp aandoen?
Daarmee lijkt het wel dag.
Overdag is het niet eng, dan droomt hij nooit.
De lichtknop zit bij de deur.
In de hoek.
In het donker.
Kan hij de knop van hier zien?
Maar, hé ...!
Wat was dat?
Daar, boven de deur.
Tim zit rechtop in bed.
Daar bewoog iets.
Hij weet het zeker.

gouden ogen

wratten

grote rugkam

uitpuilende ogen

monsters

monsters

stekels

wrattige huid

monsters

harige klauwen

scherpe tanden

Hij zag het met zijn eigen ogen.
Een monster?!
Hij trekt het dekbed over zijn hoofd.
En laat zich, PLOF! naar achteren vallen.
Niet kijken!
Tim denkt aan mama.
Zachtjes fluistert hij haar woorden na:
'Spoken en monsters zitten alleen in je hoofd,
als je er zelf in gelooft.'
Maar zij heeft makkelijk praten.
Op haar kamer zit geen monster met scherpe tanden.
Of met harige klauwen.
Hij krijgt er de kriebels van.
Een rilling loopt over zijn rug naar zijn voeten.
In zijn tenen blijft het kriebelen.
Vooral zijn grote teen jeukt heel erg.
Tim steekt zijn arm uit om te krabben.
Maar bij zijn voet voelt hij ... iets harigs!
Snel trekt hij zijn arm terug.
Hij kijkt naar zijn hand.
Niets aan te zien, maar ...
Door zijn vingers schijnt een vreemd licht.
Dat kan niet van zijn lampje zijn, dat weet hij zeker.
Hij laat zijn arm zakken en kijkt.
Wit licht, zwevende slierten ... een spook.

EEN SPOOK!

boeHOE
boehoe
boehoe
BoeHOe
BOEhOE
BoeHoe
boehoe
BOeHoe
boEhOE
boehoe
boehoe
boehoe
Boehoe
boehoe
HELP
HHH
REN VOOR JE LEVEN !

Tim gilt zo hard hij kan, maar er klinkt alleen:
'Hhh...'
Zijn mond gaat niet meer dicht.
'Hhh...'
Het spook zweeft nu boven zijn hoofd.
Met wit licht en slierten en al.
'Boehoe!' roept het en het zweeft heen en weer.
Tim neemt van schrik een hap lucht.
Tranen springen uit zijn ogen.
Hij wil nog harder gillen.
'Ghhhie...' klinkt het.
Hij lijkt wel een knijpbeest.
'Boehoe!' roept het spook weer.
Het vliegt steeds lager.
Een sliert raakt zijn neus.
Tim beweegt niet.
Door zijn tranen heen volgt hij het spook.
Het witte licht glijdt over zijn voeten.
Daar ziet hij nog ... iets.
Iets met veel poten.
Harige poten!
Tim vliegt overeind.
'MAAAM!' krijst hij.
Hij stampt met zijn voeten naar een enorme spin.
De deur van de kamer zwaait open.

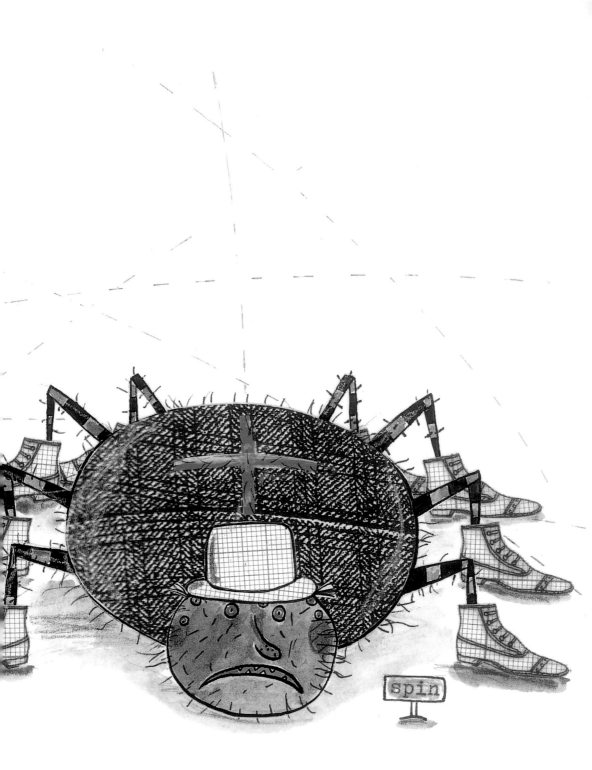

## Was het maar morgen

'Tim! Rustig!'
Mama doet het grote licht aan.
Ze komt naar hem toe.
'Stil maar lieverd.'
Ze slaat haar armen om hem heen.
'Een spook!' roept Tim.
Hij veegt met een mouw zijn tranen weg.
'Een spook met slierten, boven mijn bed.
En een spin!
Een reuzenspin met een kruis.'
Tim wijst naar zijn tenen.
'Daar zit hij, kijk zelf maar.'
Zijn voeten steken nog onder het dekbed uit.
'Ik zie niets, hoor,' zegt mama kalm.
'Geen spook en geen reuzenspin.
Maar ik zie wel een lekkere jubelteen.'
Ze knijpt in Tims grote teen en lacht.
Hij niet.
Mama is echt niet grappig.
Niet nu.
'Je kijkt niet eens!' zegt hij kwaad.
'Sorry,' zegt mama en ze schudt aan het dekbed.
Er valt geen spin uit.
'Zie je wel,' zegt ze.
'Er zit echt geen spin met een kruis.
Ook geen zonder kruis.

Spoken en Monsters
Spoken en monsters zitten alleen in je hoofd, als je er zelf in gelooft.

Spoken en monsters zitten alleen in je hoofd,
als je er zelf in gelooft.
Dat weet je toch.
Je had een griezeldroom.'
Ze kijkt naar de tijd op de wekker.
'Je moet echt weer gaan slapen.'
Tim snikt.
Mama mag nog niet weggaan.
Ze moet op zijn kamer blijven.
Naast zijn bed, of beter nog ... erin.
'Waar ging je ook alweer over dromen?' vraagt mama.
Tim denkt even na.
'Over de kermis,' weet hij weer.
'Over het reuzenrad,' zegt mama.
'Daar gaan we samen in, hè?' lacht ze.
Tim moet ook weer een beetje lachen.
Hij denkt liever aan de kermis dan aan ...
Was het maar morgen.
'Oké, lekker dromen over de kermis.
Goed?' vraagt mama.
Tim kijkt haar aan, maar zegt niets.
'Goed,' zegt mama snel.
Tim krijgt een kus.
Op haar tenen loopt ze weer naar de deur.
Licht uit.
'Truste,' fluistert ze.
Dan is de deur dicht.

## Hatssjie!

Tim wil wel aan de kermis denken.
Maar de spin en het spook zitten in zijn hoofd.
Hij had het toch echt gezien?
Die slierten van dat spook.
En dat kruis, van die reuzenspin.
Zoiets verzint hij niet.
Hij kijkt naar de hoek.
Donker, niets te zien.
Had mama dan toch gelijk?
Was het een droom die net echt leek?
'Uche, uche ...' klinkt het plots.
Wat was dat?
Wie hoest daar?
'Hatssjie!'
Het geluid komt onder het bed vandaan.
Tim bijt van schrik in zijn dekbed.
'Wat een *sstof* hier *sseg*,' piept een stem.
'Mijn *neuss* jeukt en mijn rug kriebelt.
Hatssjie!
Waarom kan *Sspook* ... uche uche, geen *sschoon*
huis *uitkiessen* om te gaan *sspoken*?
Hij weet goed ... hatssjie!
... dat ik niet tegen *sstof* kan.'
In het zwakke licht ziet Tim de spin.
Het kruis op zijn donkere lijf.
En zijn poten, dik en harig.
'Hatssjie!' klinkt het weer.
Tim gaat rechtop zitten
Een spin die praat en hoest en niest?

Hatss jie

Spin die niest

Dan waait plots het gordijn heen en weer.
Dat kan niet van de wind zijn.
Het raam is toch dicht?
Nu pas ziet Tim ook licht achter het gordijn.
Een vreemd wit schijnsel.
Er slingert een sliert onder het gordijn.
Het is het spook!
Tim knijpt zijn ogen dicht.
'Boehoe!' klinkt het spook.
Zie je wel dat hij gelijk had!
Een spook en een spin, op zijn kamer!
'Boehoe!' roept het spook.
'Hou *eenss* op met dat *ssuffe* geloei, *Sspook*,' zegt de
piepstem.
'Help me liever!'
'Boehoe!' roept het spook nu nog harder.
Hij zweeft langs het plafond.
Dan neemt hij een duik naar de vloer.
'Ben je nou helemaal gek geworden, Spin!' fluistert hij.
'We zijn bezig met spoken, niet met de schoonmaak.'
'Hatssjie!' niest Spin.
'Met al dat *sstof* kan ik niet werken!'
'Stil! Niet zo hard,' zegt Spook.
'Ja, ja, het ligt *sseker* aan mij.
Nou, dit *huiss wass anderss* wel jouw idee,' zegt Spin.

'Sst!!' sist Spook hard.
'De jongen mag ons zo niet horen of zien.'
Spin gromt: 'Help je me nog krabben of niet?
Ik word *sscheel* van de jeuk.'

Spin stuntelt.
Zijn poot kan net niet bij zijn rug.
Spook gaat boven hem zweven.
Hij wappert zijn slierten over Spins lijf.
'Dat helpt toch *nietss*!'
'Nou zeg, ik doe mijn best.
Zeurpoot!' zegt Spook.
'Nee, jij dan! *Sslappe ssliert*!'.
Tim houdt zijn hand voor zijn mond.
Hij probeert niet te lachen.
'Tros poten!' roept Spook.
'Oude *poetssdoek*!' gilt Spin.
Tim kan zijn lach echt niet meer inslikken.
Hij proest het uit.
Spin en Spook schrikken op.
Ze kijken Tim met grote ogen aan.
'Oepss,' zegt Spin.
'Foutje,' zegt Spook.
'Het *wass* leuk, tot ziens!' roept Spin.
Spin maakt zich zo plat als de mat
en glipt onder de deur door.
Ook Spook vlucht weg.
'Boehoe!' roept hij nog gauw heel eng.
'Boehoe!' roept Tim terug.
Dan is het stil.
Tim klopt zijn kussen op.
Hij gaat weer liggen.
Morgen is het kermis, denkt hij.

## Monsters

'Grauw, grauw ...' hoort Tim vaag.
Wat nu weer?
Ligt hij net lekker te slapen.
Vast weer dat maffe stel.
Ze denken zeker dat hij nog bang is.
'Truste, Spin en Spook,' moppert hij.
'Laat me toch slapen.'
'Grauw, grauw,' klinkt het nu harder.
Tim komt boos omhoog.
'Willen jullie nu heel snel ...'
Zijn adem stokt.
Voor zijn kleerkast zweeft een monster!
Zijn grote bek gaat open en dicht.
Scherpe klauwen grijpen in het rond.
Tim neemt een hap lucht.
'Mij niet opeten ...' bibbert hij
en hij knijpt in zijn kussen.
'Ieieie!' gilt een harige bol plots voor zijn gezicht.
'Aaahh!' brult Tim.
'Nog een monster!'
Hij stoot het beest met twee handen weg.
De haarbal suist door de lucht.
En dreunt tegen de spiegel op de kastdeur.
Door de klap vliegt de kastdeur open.
SNOK! tegen de bek van het monster.
'Auhoe!'
Dan ziet het monster de spiegel.
'Whoeaaa! Een eng beest!' gilt het en het schiet omhoog.
'Een monster met klauwen!'

krokodil

grauw

grauW
grauw

HÉ GAAN
WE VOETBALLEN
?

aaah

ieie

Lucht

Haarbal

Slierten wapperen achter hem aan.
Hé, denkt Tim, slierten ...
Die heeft Tim al eerder gezien.
'Dat ben je *sself*, tafelkleed!' klinkt een bekende piep-
stem.
Tim kijkt naar de vloer.
Tussen zijn speelgoed ziet hij Spin liggen, op zijn rug.
Zijn poten spartelen in de lucht.
Naast hem ligt de haarbal, een pruik.

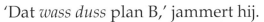

Kast

SNOK

'Dat *wass duss* plan B,' jammert hij.
'Boehoe!' roept Spook.
Hij gooit een lap van zich af.
Er staan ogen en tanden op getekend.
Tim wordt nu echt boos.
'Zijn jullie nu klaar?' roept hij.
'Of gaat deze vertoning de hele nacht door?'
Hij slaat zijn armen over elkaar.
'Nou?'

vloer

Pl B

AU

# Niet eng genoeg

'Je was niet meer bang van ons,' zegt Spook sip.
'Dus moesten we iets nieuws verzinnen,' zegt Spin.
Hij pakt de pruik van de grond
en plukt er een takje uit.
Tim kijkt naar de sippe koppen.
Hij vindt de twee best een beetje zielig.
'Maar jullie laten me wel hard lachen,' probeert hij.
'Dat is toch ook knap!'
'Ja,' zegt Spook zacht.
'Maar daar is geen lol aan, aan lachen.'
'Jíj wilde *sso* nodig hierheen *verhuissen*,' moppert Spin.
Hij kijkt nijdig naar Spook.
'Je *ssei* dat hier een bang kind woonde.'
'Dat was ook zo,' knikt Tim.
'Maar nu niet meer ...' zucht Spook.
'Dus moeten we weer een ander bang kind zoeken.'
'Ik haat *verhuissen*,' zegt Spin.
'Misschien zijn we gewoon niet eng genoeg,' zegt Spook.
'Misschien moeten we er maar mee stoppen.
En hier blijven wonen.'
Zijn slierten hangen slap.
'Nee!' roept Tim.
'Ik bedoel ...
Ik schrok me wild van jullie!
De eerste keer dan ...'
'Dat bedoel ik,' zegt Spook.
'We zijn wel eng, maar nooit lang.'
Spin verstopt zich onder de pruik.
Tim hoort een snik.

Wat moet hij doen?

Hij vindt Spin en Spook wel aardig.

Maar niet op zijn kamer, voor altijd ...

Is er geen betere plek?

Tim denkt diep na.

Het is doodstil in zijn kamer.

Buiten loeit de wind.

'Ik weet het!' roept hij plots.

'Ieekk!' schrikt Spin.

De pruik vliegt hoog de lucht in.

'Wil je dat nooit meer doen!' moppert ze.

'Ik haat schrikken!'

'Ik heb een geweldig idee,' fluistert Tim.

Er komt een grijns op zijn gezicht ...

# Herrie

'Boehoe!' roept Spook.
'Dat is een goed plan!'
Hij vliegt een paar rondjes om de lamp heen
en gaat drie keer over de kop.
Maar dan blijft hij plots stil hangen in de lucht.
'Een groot mens!' roept hij verschrikt.
'Help! Het komt ons vangen!'
Mama komt de trap op.
Tim hoort haar mopperen.
'Vlug *Sspook, versstop* je!' piept Spin.
'Hier in bed!' zegt Tim.
Dan gaat de deur open.
Spook duikt onder het dekbed.
Zijn laatste sliert verdwijnt net op tijd.
'Wat is dat voor herrie?' zegt mama boos.
'Oefen je voor koe of zo?
Ik hoor steeds boehoe.
Ik kan de tv niet eens verstaan.'          OEHOE
Tim zegt gauw:
'Nee mam, dat geluid was geen boehoe.
Het was oehoe, van een uil.
Die was hier binnengeglipt.          OEHOE
Op zoek naar eten.'
'Dat zou me niets verbazen,' moppert mama.
'In deze bende kunnen muizen vast goed leven.
Maar uilen komen niet in huis.
Zeker niet als het raam dicht is.'
Mama zucht diep.
Ze trekt de kruk naar het bed toe.

OEHOE

Met haar voet schuift ze een berg Lego opzij.
'Je was weer bang, hè,' zegt ze.
Haar stem klinkt weer lief.
Tim kijkt naar de kruk.
Er staat een kruis op.
Maar dat is geen kruk, het is Spin!
Zijn ogen staan bang.
Mama zet de spinkruk naast het bed.
'Je weet toch wat ik heb gezegd.'
Ze hangt met haar billen boven Spin.
'Spoken en enorme spinnen ...'
Ze laat zich langzaam zakken.
'Die bestaan niet!'
Tim durft niet meer te kijken.
'Skwiek,' klinkt het gedempt.
Mama zit.
Maar verder gebeurt er niets.
Ze kijkt verbaasd naar de kruk.
'Dat was ik,' zegt Tim snel.
'Ik ehh ... word verkouden. Hatsjie!'
Hij kijkt vanuit zijn ooghoek naar Spin.
Die staat nog steeds rechtop.
Nog wel.
Hij heeft zijn tanden op elkaar geklemd.
Zijn ogen zijn spleetjes.
Mama begint een lang verhaal.
Over spoken, geesten en monsters.
Dat die niet bestaan.
Over kinderen en grote mensen.
Dat die niet bang hoeven te zijn.
Spin perst zijn lippen op elkaar.

29

Spin in nood !

Hij kijkt smekend naar Tim.
'Je hebt gelijk, mam,' zegt Tim snel.
'Ik ben niet bang meer, echt niet.'
Hij lacht breed.
'Ga maar weer tv kijken.
Ik ga gauw slapen, heel stil.'
'Fijn om te horen,' zegt mama.
'En morgen ...'
'Jaahaa,' zegt Tim vlug.
Hij weet het nu wel.
Spin begint te trillen.
'Oké, oké,' zegt mama en ze staat op.
'Jij wilt dat het snel morgen is, hè?'
Ze zet de kruk opzij.
'Wat een gammel ding,' hoort Tim haar mompelen.
'Truste,' fluistert ze en ze sluipt naar de deur.
'Ja, truste,' fluistert Tim.
De deur gaat dicht.
'Oef.' PLOF! hoort Tim naast zijn bed.

## Kermis

'Kijk, mam!'
Tim trekt mama mee aan haar jas.
'Daar wil ik in!'
Hij wijst naar het spookhuis.
Er staat een heks voor de ingang.
Ze wenkt met haar lange dunne vinger.
Mama slikt.
'Weet je dat wel zeker?
Binnen is het donker en eng.'
Mama kijkt om zich heen.
'Daar! Wat dacht je van de draaimolen?'
Tim trekt een boos gezicht.
'Ik ben geen klein kind.
Ik ben heus niet bang, hoor.
Niet meer.'
'Goed dan,' zucht mama.
'Maar vergeet niet ...
Je moet de hele rit in de kar afmaken.
Je kunt er op de helft niet uit.'
Voor de ingang van het spookhuis staat een rij.
Ze gaan achteraan staan.

Tim kijkt de rij langs.
'Nog twaalf mensen voor ons.'
Was hij maar aan de beurt.
Hij ziet hoe twee meiden in een kar stappen.
De ogen van de kar stralen rood licht uit.
Ze rijdt langzaam vooruit.
'Nu nog tien.'
De deuren van het spookhuis klappen open.
'Boehoe!' klinkt het.
Tim hoort de meiden gillen.
Nu al? denkt hij.
De rit moet nog beginnen.

Eindelijk zijn Tim en mama aan de beurt.
Een geel karretje stopt voor hun voeten.
Tim zit al lang als mama erin klimt.
'Nou ...' zucht ze, 'daar gaan we dan.'
Met een schok gaat de kar rijden.
De deuren van het spookhuis klappen open.
De kar rijdt het donker in.

'Boehoe!' klinkt het meteen.
Achterin de gang zweeft een wit spook.
De kar komt langzaam dichterbij.
'Pak mijn hand maar vast,' fluistert mama.
'Het lijkt net echt, maar dat is het niet, hoor.
Spoken en monsters ...'
Ze slikt haar zin in.
Het spook cirkelt nu boven hen.
'A... als je er zelf in ge... gelooft.'
Mama knijpt in Tims hand.
Spook! denkt Tim.
Hij doet het geweldig!
'Boehoe!'
In een flits stort hij zich op mama en Tim.
Zijn slierten wapperen alle kanten op.
'Aargh!' gilt mama. 'Een spook!'
Ze klampt zich vast aan Tim.
Tim giert van het lachen.
'Mam, spoken bestaan toch niet,' hikt hij.
'Ze zitten alleen in je hoofd, als je er zelf in gelooft.'
'Dat klopt, maar dit is een echte!' brult ze.
'Ik zie het met mijn eigen ogen!
Waar is de uitgang?
We moeten eruit!'
Ze laat zich uit de kar vallen.
Struikelend vlucht ze terug door de gang.

'Ik moet hier weg.
IK MOET HIER NU WEG!'
'SKWIEK!' galmt een bekend geluid.
Mama is in haar vlucht boven op Spin gaan staan.
Van schrik vliegt die overeind,
grijpt met al zijn poten om zich heen
en klemt zich om mama's gezicht.
'Wil je dat nooit meer doen!' gilt ze.
'Ik haat schrikken!'
Tim houdt het niet meer van het lachen.
Mama spartelt wild om zich heen.
Ze rukt aan het lijf van Spin.
Tim voelt gekriebel aan zijn arm.
Hij kijkt omlaag.

Ik moet hier weg

'Boehoe!' zegt Spook.

Hij zit naast Tim in het karretje.

'Tim, ren voor je leven!' klinkt het.

'Wat een prachtplan van je,' zegt Spook.

'Echt super!'

'En weet je wat het *leuksst iss*?' zegt Spin.

Die is ook in de kar gekropen.

'We hoeven hier niet meer weg, nooit meer.

De *menssen* komen gewoon hierheen!'

'Telkens weer nieuwe!' zegt Spook.

Tim hoort een hard gebonk en gekraak.

Mama is dwars door de deuren heen gerend.

Er bungelt nog wat hout aan het scharnier.

Een nieuwe kar komt het spookhuis in.

'We moeten weer aan het werk,' zegt Spook.

Vlug gaan ze ervandoor.

'Boehoe!' roept Spook nog een keer.

Hij wappert met zijn slierten.

'Boehoe!' roept Tim en hij zwaait terug.

Zijn karretje rijdt verder, de hoek om.

Heksen, geraamtes en monsters
komen voorbij.

Tim zakt lekker onderuit.

Hoe zou het met mama
gaan?

Ze mag zijn lampje
vannacht wel lenen ...

WAT EEN PRACHTPLAN ...

AVI 4 - AVI-M4

CIP-GEGEVENS
Koninklijke Bibliotheek Albert I

© TEKST
Suzan Peeters

© ILLUSTRATIES EN OMSLAGTEKENING
Claudia Verhelst

DRUK
Oranje, Sint-Baafs-Vijve

© 2009 UITGEVERIJ DE EENHOORN BVBA
Vlasstraat 17, B-8710 Wielsbeke

D/2009/6048/21
NUR 282
ISBN 978-90-5838-551-2

NEDERLANDSE
**KINDERJURY**
2010

*www.eenhoorn.be*